001

002

003

004

005

006

007

008

2

009

010

011

012

3

013

014

4

015

016

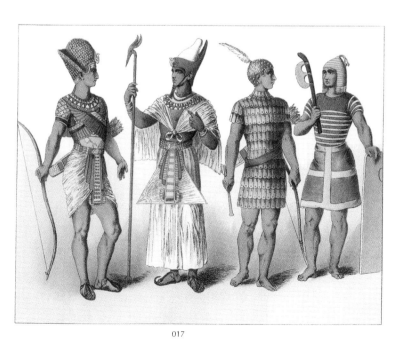

017

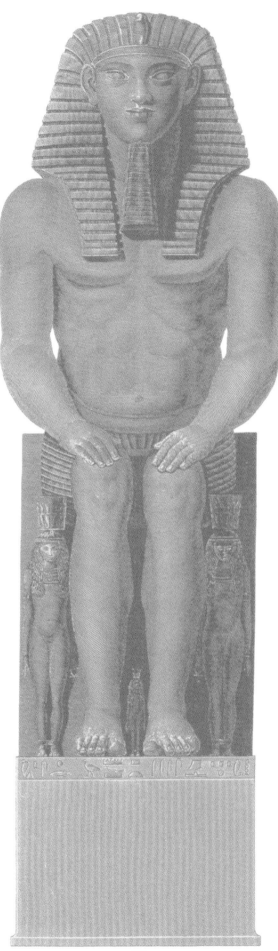

018

5

019

020

021

022

023

024

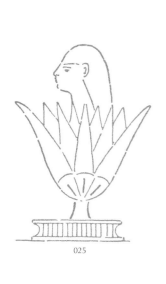

025

026

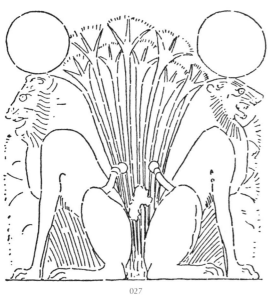

027

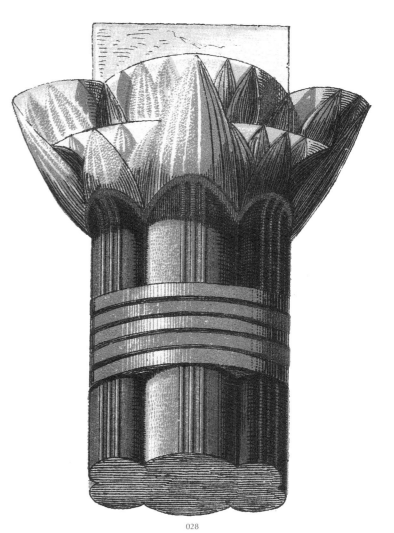

028

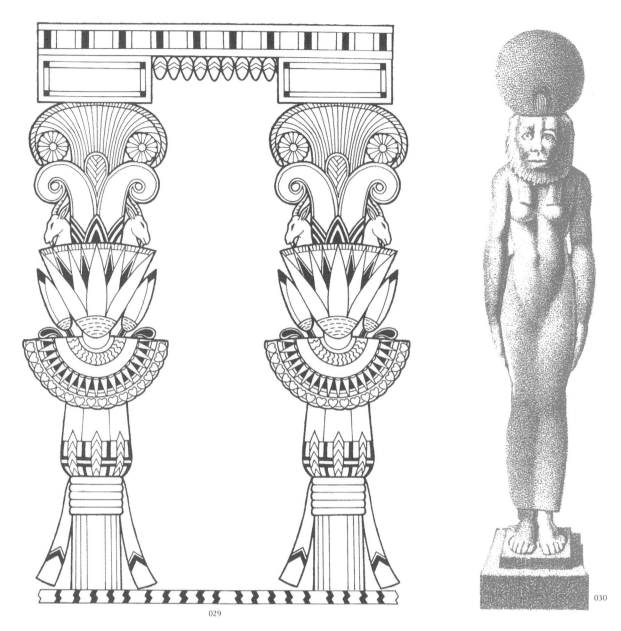

029

030

031

032

033

034

9

035

036

037

038

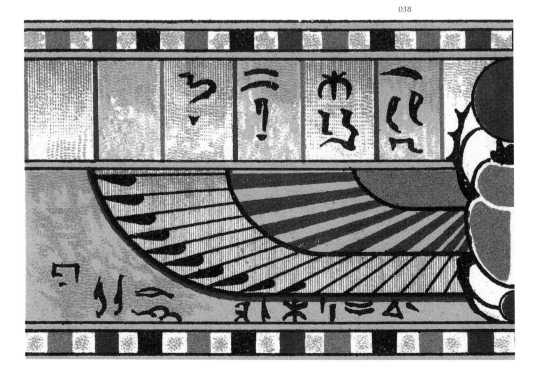

10

039

040

041

042

043

044

045

046

047

048

049

050

051

052

053

054

13

055

056

057

058

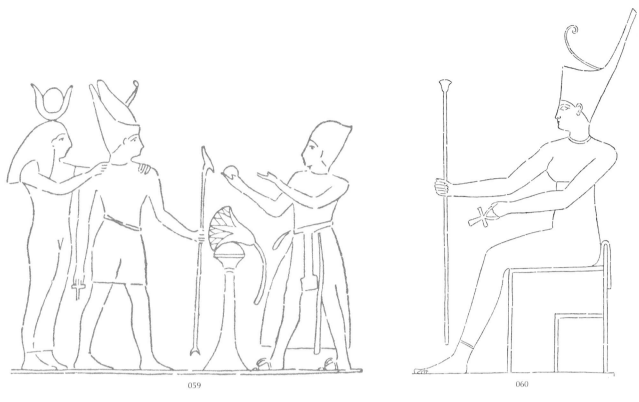

059

060

061

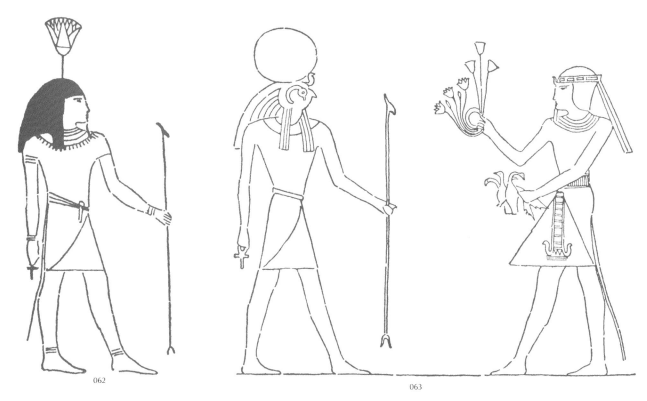

062

063

064

065

066

067

17

068

069

070

071

072

073

19

074

075

076

077

078

20

079

080

081

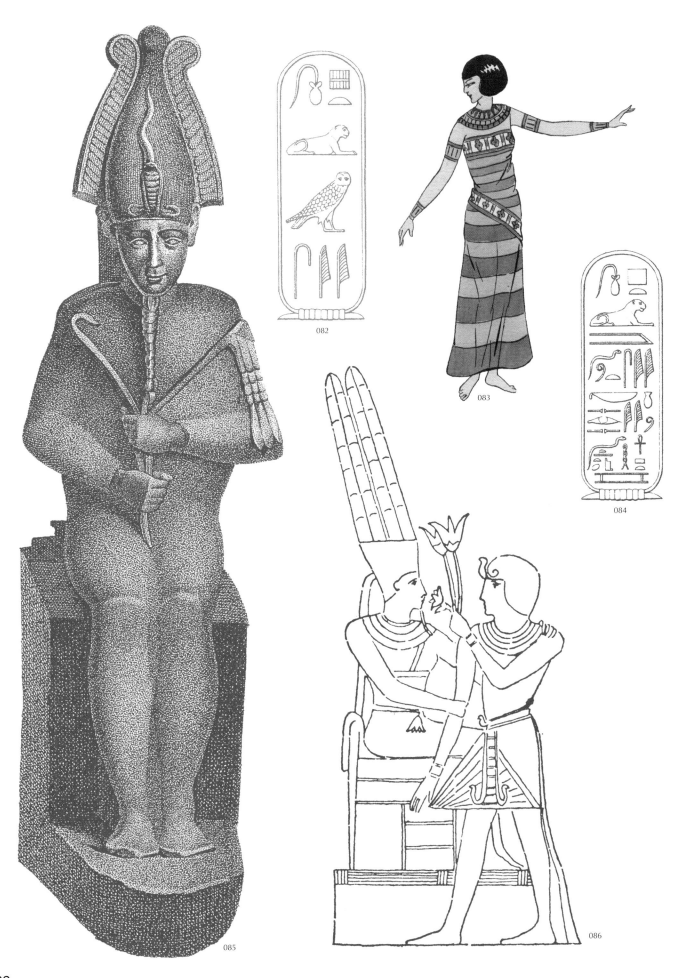

082

083

084

085

086

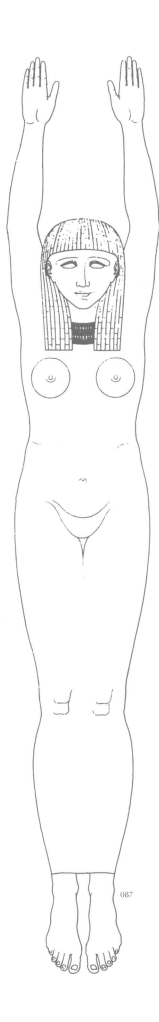

087

088

089

090

091

092

093

094 095 096

097

098

099

100

101

102

103

104

105

106

107

108

109

110

111

112

113

114

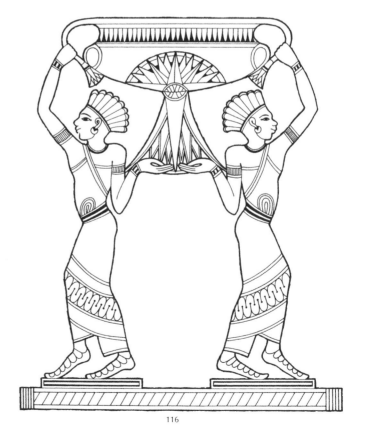

115

116

30

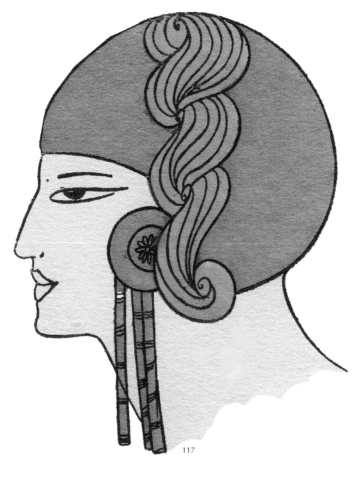

117

118

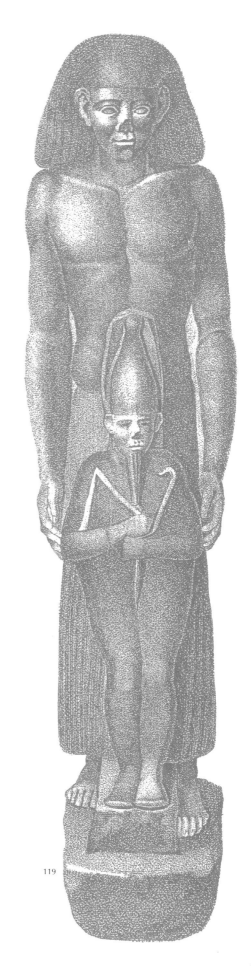

119

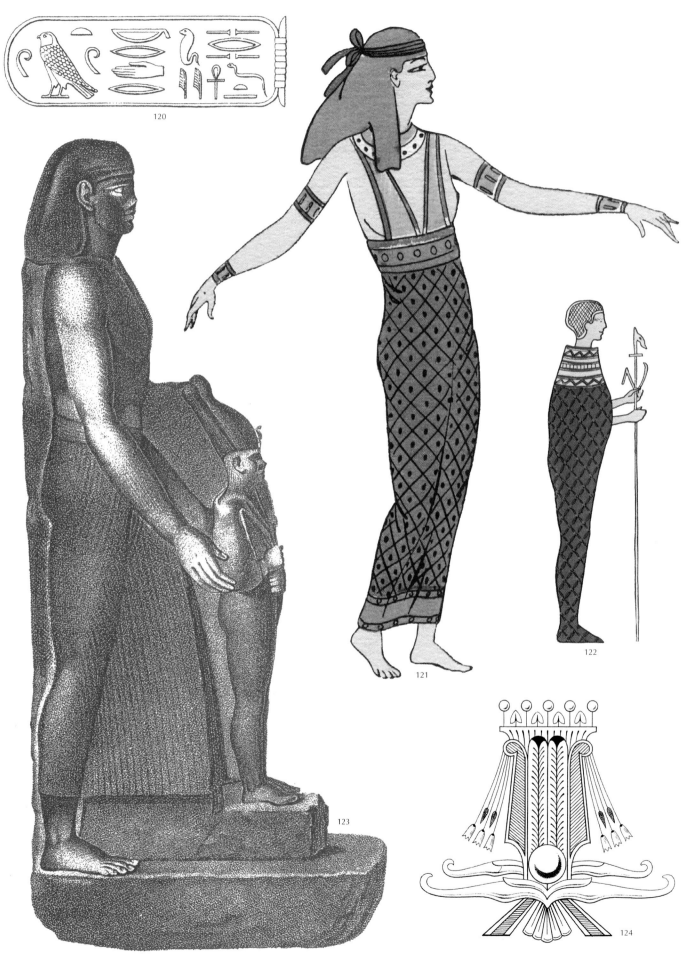

120

121

122

123

124

32

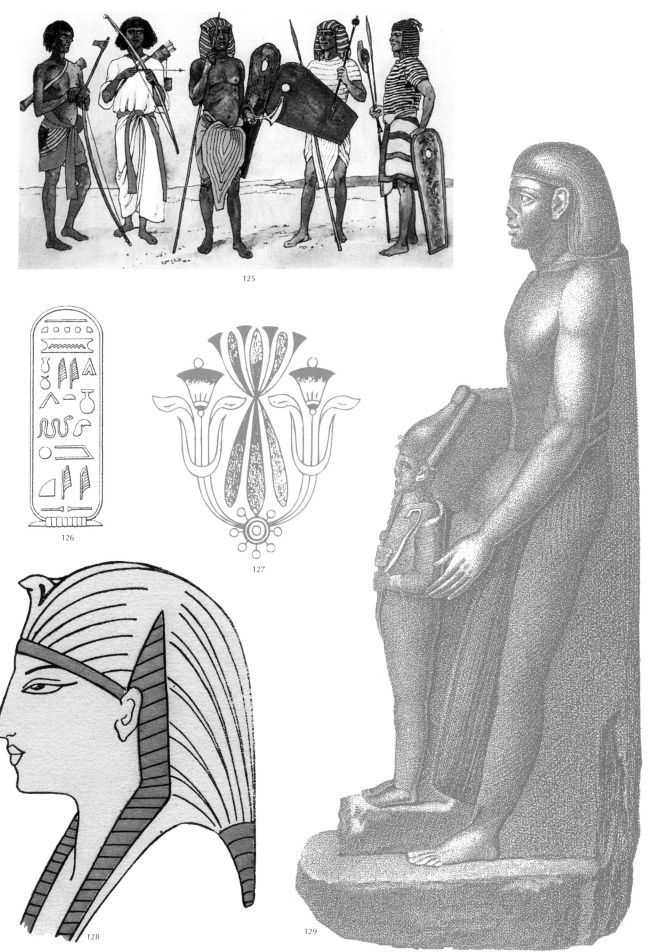

125

126

127

128

129

130

131

132

133

134

135

136

137

140

138

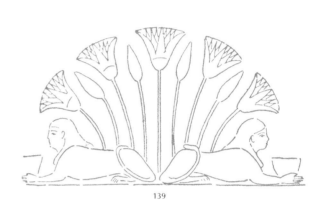

139

141

142

143

144

145

146

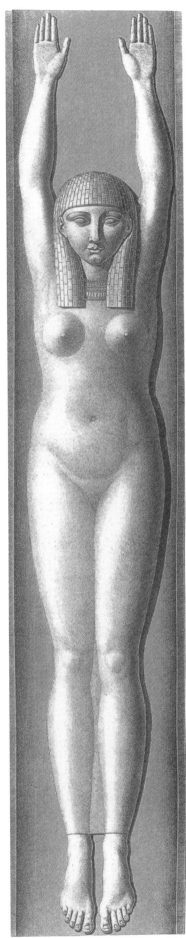

149

147

148

150

151

152

153

154

155

39

156

157

158

159

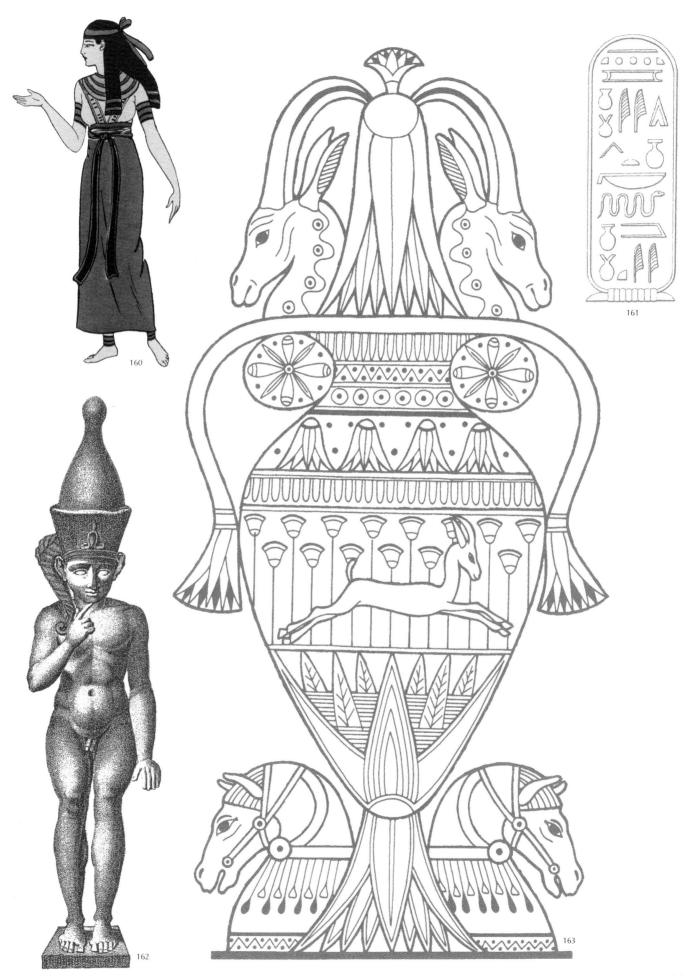

160

161

162

163

164

165

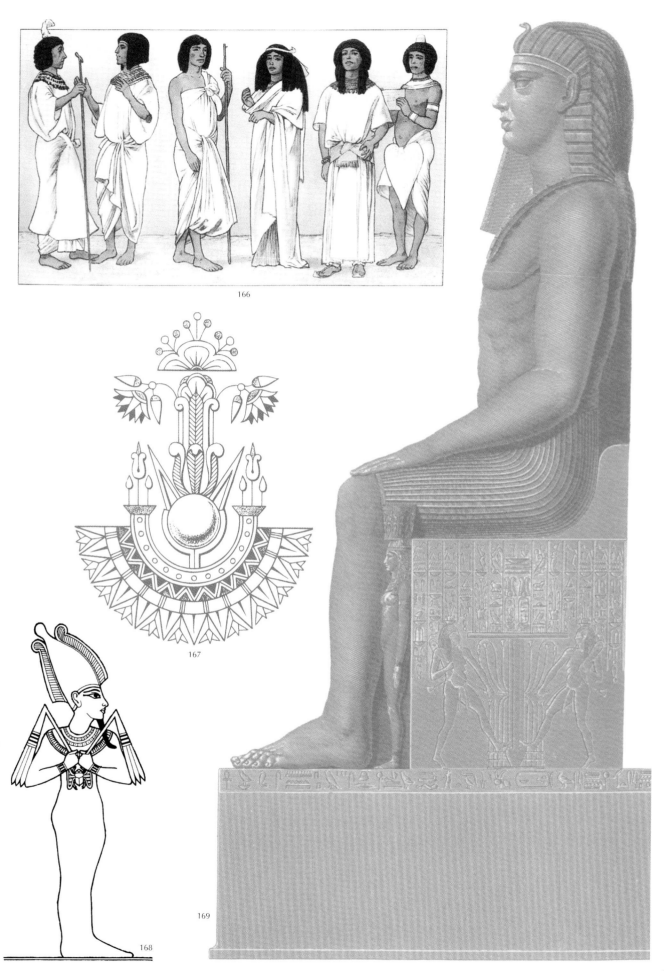

166

167

168

169

170

171

172

173

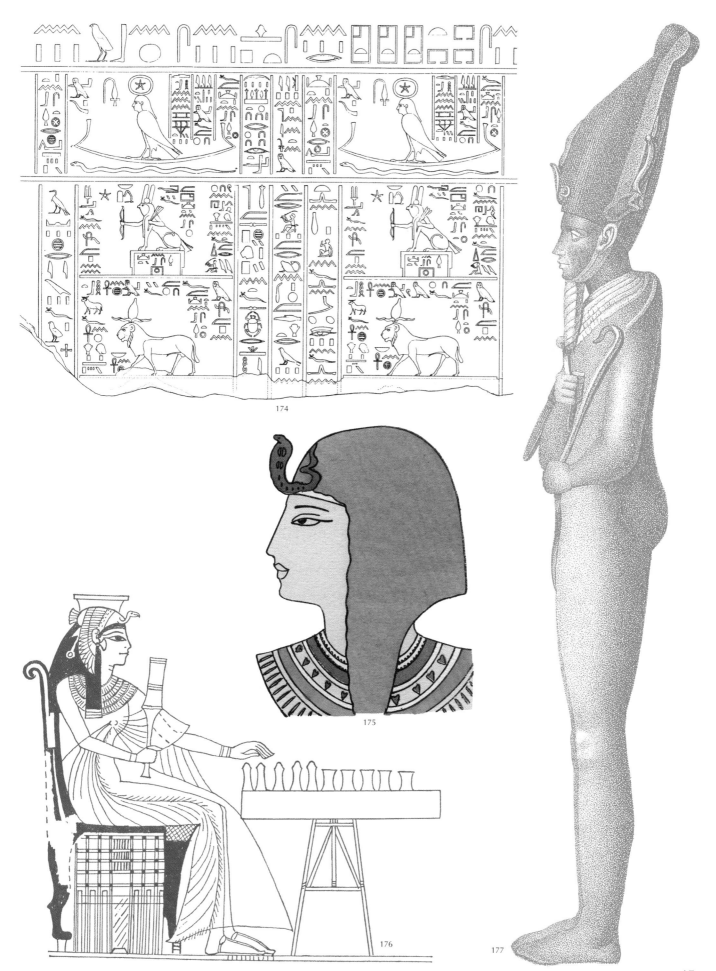

174

175

176

177

178

179

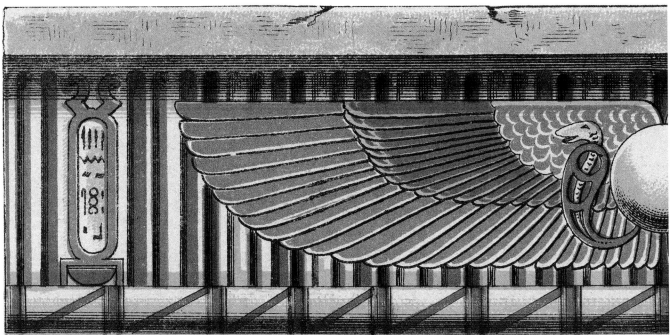

180

181

182

183

184

185

186